고수

고수

7

문정후 · 류기운

차례

'송로촌'은 지금까지
꼬박꼬박 상납을
해오던 마을입니다!

기근 때문에
할당량을 못 채웠다 하니
한 번만 더 기회를
주는 건 어떨까요?

일할 수 있는 젊은 것들은
그냥 두고 늙은이들 중
몇 명 처단하는 것으로….

농사를 망쳤으면
자식놈들을 팔아서라도
할당량을 채웠어야지!

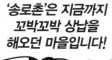

그만ㅡ!
이미 결정난
일이다!

그따위 징징대는 소릴
일일히 들어주다 보면
다른 마을 놈들까지
통제할 수 없게 돼!

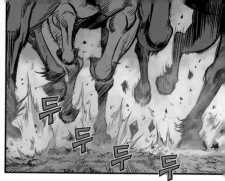

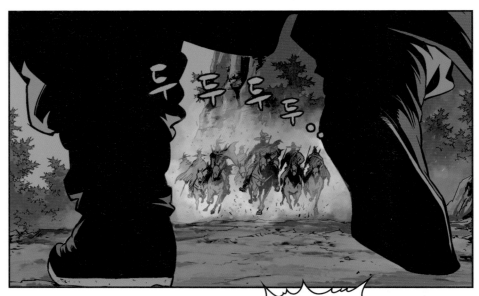

뭐야,
저 미친놈은!

뒈지고 싶어
환장했나!

죽고 싶은 놈은
죽게 해드려야지!

크
하
하
하

뭉개버렷!

캉..

15

무시무시하군.

홍안의 검귀라.
과연…,

곡주님이
반할 만한
실력이구먼.

……

송로촌이 지척인데
여기까지 온 김에
들러 보지그래.

그래도 한때의
추억이 깃든 곳이라
들었는데….

곡주님이 인가하신 일이야.

그쯤 해두고 우린 우리 일이나 하세.

동트기 전에 흔적을 모두 지워야 하니 서두르자고!

시체 처리조!

예, 예! 갑니다!

무기 수집조는 인원이 왜 이거밖에 안 돼?

망아지들 잡으러 간다고 몇 명 빠졌는데 곧 돌아올 겁니다.

잘 좀 들어!

끄응!

거기 뭐 해! 빨리들 움직이라니까!

...

......

저어….

실례지만 말씀 좀
여쭙겠습니다.

황룡산의
삼거리객점을
찾고 있사온데,

혹시
아시는지요?

······.

따라
오시오.

가, 감사합니다!

여기요.

!

아…, 저, 저기…!

급한 볼일이 있으신 게 아니라면 안내해주신 보답으로 식사라도 대접해드리고 싶습니다만….

꼬르륵…

……

22

잘 먹었소.

고맙수.

꺼억.

어서 오시우.

아무 데나 맘에 드는 자리 앉으셔.

저, 혹시…

여기 삼거리객점에 젊은 남자 한 분이 일한다고 들었습니다만….

!

젊은 남자라면
배달 실장밖에
없는데…

누굴 찾아
오셨수?

다녀왔습니다!

마침 오는구먼.

응?

오라버니!

오라버니?

여, 연아!
네가 여긴
어떻게…!

오라버니께
전할 말도 있고,
또 오랜만에
보고 싶기도 해서…

그렇다고 여길
혼자 온 거야?
호위도 없이?!

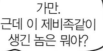

가만.
근데 이 제비족같이
생긴 놈은 뭐야?

나를 보고도 반응이
없는 걸 보니 풍진방 소속은
아닌 모양인데….

내 동생이 순진해 뵈니까
꼬셔보려고 따라온 놈이냐?

뭘 꼬라봐, 이쉑!
눈구녕을 확!

그만두셔요, 오라버니!
그분은 저를
도와주신 분이에요!

제가 길 잃고
헤매고 있을 때
여기까지 바래다준
분이라고요!

그러셨군요.
동생을 대신해
감사드립니다.

제 재롱은
재미있으셨는지….

정말
죄송해요,
무사님!

제 동생이랑
잠깐 얘기 좀
해도 되죠?

그려.

여기 있던
뚱보 점원….

…….

그만뒀소?

…….

강 실장을 말하는 거라면…,

그만두고 나간 지 벌써 1년 정도 됐지, 아마?

아녜요.

8개월 반.

정확하게 여덟 달 하고 열 하루째예요!

뭐 그런 걸 다 기억하고 있냐, 너는.

…내가 놈을 다시
찾아갔을 땐,

놈은 이미 '원수'를 찾아
그곳을 떠난 뒤였다.

……

두 달 뒤.

안녕하십니까!
저 또 왔습니다!
핫핫!

응?
누구시더라?

뭐?
취직?

우리 객점에?

예.

아,
안 될까요?

안 된다기보다…
딱 봐도 손에 물 한 방울
안 묻혀봤을 것 같은데
식당 일을?

보나 마나,

용이가 표적인 것 같은데
여기서 숙식 해결하며
잠복하고 있다가
나타나면 덮치려는
계획이겠죠, 뭐.

한 며칠 간 보다가
빡세면 때려칠 게 뻔해.
그냥 쫓아버려요, 엄마.

그런 거냐?

……!

30

꼬, 꼭 그런 이유인 것만은 아닙니다!
그리고 힘들더라도 절대
그만두지 않을 자신 있습니다!
일단 한번 시켜봐주세요!

흥. 시킬 일이라곤
배달 일뿐인데 길치라서
안 된다고요, 저 사람.

…라는구먼.

…라는데?

아.

그 문제라면
걱정 안 하셔도 됩니다!
일전에 환골탈태한 뒤로
저 스스로도 까무러칠 만큼
길눈이 확 밝아졌거든요!

믿고 함 써보세요!
맘에 드실 겁니다!
핫핫핫!

환골탈태??

농담이야,
진짜야?

흐음….
강 실장 이후로 들어온
배달부원들이 죄다
이틀을 못 버티는 바람에
배달 업무 접으려던
참인데….

한 번 더
시켜볼까 어쩔까….

눈 딱 감고
시켜보시라니까요.

그럼 이건 어떻습니까?
'강 실장'이란 친구보다
만족도가 떨어지면 급료를
아예 안 받는 걸로!

호오?

솔깃…

……

…라고
큰소릴 치긴
했지만….

……

휘잉…

지도에 따르면
다른 길은 없는데….
이 다리는 언제부터
끊어져 있던 거야?

돌아서 가기엔 너무 멀고….
놈은 여길 뛰어넘어
다닌 건가?

……

끄득…

쿡..

타아아압…

팩
팩
팩

억!

......

어, 어떠냐, 뚱보!
나는 못 뛰어넘을 줄
알았겠지? 어?

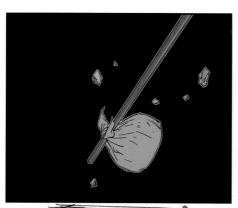

아!

…그래서 다시 배달하고 올 테니 만두를 새로 만들어달라? 이게 말이야 X이야?!

너 해고!

하, 한 번만 더 기회를 주세요~!

언제 시켰는데 이제 온 거냐?

포기하고 걍 밥 해 먹고 있었는데.

죄송합니다! 다음엔 절대 늦지 않을 겁니다!

만두가 다 식었구먼. 강 실장이 배달할 땐 따끈따끈했었는데.

강 실장만 한 사람이 있겠어요?

용이 형 보고 싶다.

…….

어디 보자, 다음은….

34

……

지도에 표시된
'잔도'가 설마
이걸 말하는 건가?

이거 도대체
언제 만들어진
지도야?

그래도
아까보다 간격은
좁은 편이네.

썩은 나무만 아니라면
이 정도쯤이야.

……
이 썩은 나무 위를
지나다녔다고?

그 뚱보가…?

미안하네만
통발 설치 중이라
그쪽으로 갈 수가 없어!
자네가 이리 좀
갖다주게!

강 실장은 맨날
성큼성큼 건너 오던데
자넨 안 되나?

물 위를
성큼성큼?

예수님인가?

36

예끼, 이 사람! 과장은….
갈대들 던져놓고
그 위를 밟고 뛰어왔지.
성큼성큼은 무슨 성큼성큼이야.

어, 참.
그랬지.

아, 예에….

그래,
하루 해보니 어떤가?
할 만하던가?

예, 뭐…
그럭저럭….

난 내일!
넌?

저도 내일.
오전 오후로
나눌까요?

그만둘 생각
없으니까
돈내기 하지 마!

……

대 풍진방 방주의
존심이 있지.
이 정도로 꿇을쏘냐.

오오옷!

와아!

피유우우!

뚜뚜

뚜 뚜 뚜

콰르르르

역시 삼거리객점 배달 실장이야! 새로 왔다는 말은 들었는데 이름이 뭐요, 젊은이!

도겸입니다. 도 실장이라 불러주세요.

무공 실력이 강 실장 못지 않은걸!

얼굴은 도 실장이 더 잘생긴 거 같애!

하아

자 자, 마무리 작업들 하자고!

산사태로 꽉 막혔던 길이 이제야 뚫렸구먼!

그런데 그 강 실장이라는 친구가 이런 일을 자주 했나요?

여기 만두 값이랑 특별 수당.

예, 감사합니다.

아, 그럼.

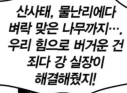

산사태, 물난리에다 벼락 맞은 나무까지….
우리 힘으로 버거운 건 죄다 강 실장이 해결해줬지!

그런 일 있을 때 일부러 만두 주문하기도 하고 그랬어! 어허허!

그렇군요….

흐음..

감사합니다! 맛있게 드세요!

……

우물에 인형 빠졌어.

저런~. 안됐구나.

용이 오빠였으면 바로 건져줬을 텐데….

퉁..

위험하니까 우물가에선 놀지 마라. 알았지?

응, 고마워…

겸이 오빠!

겸이 오빠~!

하아아앗!

쏴아아악

쏴

쏴

텅..

오오, 성공―!
대단한데,
도 실장!

한 달만에
해냈어.

이, 이 정도야
껌이죠. 헉헉.

후욱..

퍽.

탁.

콰다다다...

쾅.

퓨우.

와!
둥둥 뜬다!

오예!

첨벙

첨벙

잡아라,
잡아!

첨벙

있지,
얘들아···.

용이 형이랑
나랑 붙으면
누가 이길 거 같냐?
진지하게. 어?

혹시···
대답 잘못하면
고기 못 먹는 거야?

나 그렇게
쪼잔한 사람 아니다.
걱정 말고 솔직하게
까봐!

······

그래도
막상 들으면
기분 나쁠 텐데···.

일단 먹고 나서
대답하면 안 될까?

됐다···.

다녀왔습니다!

......

쳇. 석 달씩이나 버티다니 보기보다 질기구먼.

후후. 이제 그만 포기하시죠.

돈내기 좀 그만해!

제발……

안 돼! 한 달 더—!

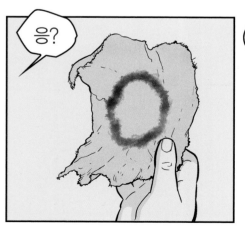

응?

까막눈 왕 노파 오랜만이네.

용이 그만두고 나선 첫 주문인 거 같은데….

44

왕 할머니 건강은 좀 나아지셨나 모르겠어요. 한동안 죽밖에 못 드신다고 하시더니….

만두 주문한 거 보면 좋아졌나 보지.

??

다녀오겠습니다.

그려.

……

뉘시우?

45

…그랬구려.
강 실장이 그만두고
새로 오신 분이라니.

난 또
웬 젊은 사람이 길이라도
잃어버렸나 했소.

하하.

참, 도 실장이라고 했지?
도 실장은 혹시
글 읽을 줄 아시우?

예?
아, 예. 뭐….

잘됐구려.
그럼 혹시 바쁘지 않으면
이 편지 좀 읽어줄 수
있을지….

편지요?
예, 읽어드릴게요.

남만으로 돈 벌러 떠난
아들 편지라오.

'관인'이…?

46

왜 그러시우?

예?!

어, 그, 그게…, 편지가 너무 낡아 내용을 알아보기가 좀….

글자가 군데군데 지워져 있어서요.

음, 역시…….

아들 편지라곤 그거 하나뿐이라 맨날 펼쳐보고 쓰다듬고 했더니. 후후….

!

이, 읽어보셨어요? 이 편지?

까막눈이라 직접 읽진 못하고 강 실장이 올 때마다 읽어줬다오.

그래서 실은 내용도 다 알고 있소.

그저 다른 사람이 읽어주는 게 좋아서 괜한 욕심을 부려본 게지.

47

남만의 국경 근처에서
비단이랑 옷감 파는 가게를
열었는데 장사가 잘 돼서
가게가 점점 커지고 있다는
내용일 게요.

애비 없이 키운 자식이라
늘 걱정이었는데 그렇게
잘 살 줄 누가 알았겠수….

아! 아, 예!
그러고 보니 얼추
그런 내용 같긴 하네요!

하앗…

헐헐.

이 뚱보가….

꾹.

불쌍한 노인을 상대로 대체 무슨 짓을 한 거야.

그건 성곽 노역에 투입됐다가 사고로 죽었다는 사망통지서잖아!

해당 관청의 인장까지 있었는데…

젠장.

싸울 맛 안 나게 만드네, 이 뚱땡이가.

……

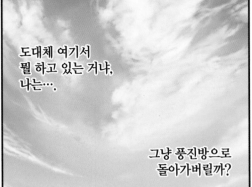

도대체 여기서
뭘 하고 있는 거냐,
나는….

그냥 풍진방으로
돌아가버릴까?

아니, 아니지….
이 정도 일로
약해져서야….

내가 누구 때문에
이 고생을
하고 있는데.

오늘 일은
기억에서
지워버리자!

내일은
내일의 해가
뜨는 법.

78화

나머지는 일을 마친 뒤 주지!

......!

뭐…, 좋아.

곧 돌아올 테니 멀리 가진 마시오.

......

......
분명 죽이든 살리든
상관없다는 조건이었지.

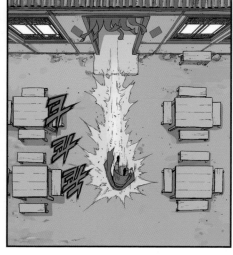

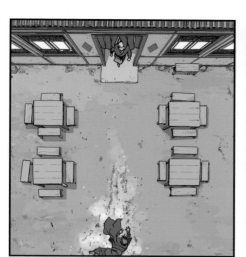
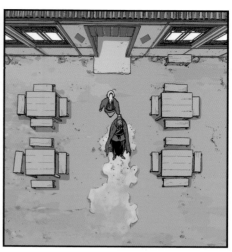

......

다짜고짜
흉기를 휘두르다니.
놀라라….

이 근처에선
못본 얼굴들이구먼.

......

나를 봤어?

아니, 그럴 리가…

…한데 듣던 거와는 좀 다르군.

머리가 백발이었나.

누가?

억!

저 떨거지들을 보낸 게 너지?

돌아서봐. 얼굴이나 함 보자.

어…, 어느 틈에….

스으…

호오….
해볼 생각이야?

도 실장!
또 어디서
빈둥거리고 있어?!

예, 점장님!
여기요—!

도망칠 수 있을 거라
생각하나?

화장실 갔다 온대놓고
거기서 뭐 하고
있는 게야!

……

아, 저, 그게요.
수상한 놈이 있어서
잡아올까 하고….

쓸데없는 짓 하지 말고
빨리 배달이나 다녀와!
만두 다 식는다!

그리고 나가는 길에
관청에 들러
저 묶어놓은 애들
데려가라고 하고!

……

뒤뜰 나무에
잘 묶어놨지?

예. 깨어나더라도
못 움직일 거예요.

59

참, 그런데 송 소저는 장 보러 마을에 간 거 맞죠?

그려. 왜?

아뇨, 그냥….

…….

갑자기 좀 걱정이 돼서…….

하앗.

아, 쓸데없는 걱정 말고 빨랑 배달이나 다녀와!

예, 예….

오랜만이네♡

그렇네요.
백마곡 언니.

아이 참.
왜 자꾸 언니라고 그래,
또래끼리….

한가한가 보네요.
난 바빠서 이만….

용이…

아직
연락 없었어?

…예.

그래?
이상하네.

나한테는
편지 왔는데.

나 보고 싶다더라.
조만간 다시
돌아올 거 같아.

히히..

진짜야.

......

잘됐네요.

언니!

흐규
%..

정말입니까?

뭐가?

'편지' 말입니다.

당연히 뻥이지!

뭘 묻고 그래.

아…, 예에….

잘해야 지금쯤 내가 쓴 편지가 용이한테 도착했으려나….

난또…

옛?!

그 친구 어딨는지 알고 계십니까?!

음.

나도 최근에야 알게 됐지만.

……

정들 만하면
이별이라더니….

이미 결정했다면
가야겠지만,

생각이 바뀌면
언제든지
돌아오너라.

예,
그럴게요.

말도 안 타고
그냥 걸어서 간다고?

가면서 먹을 거랑
여비는 챙겼어?

……

갈구는 놈 있으면
연락하거라.
내 즉시 달려가마!

골다공증으로
잘 걷지도 못하는 인간이
달려가기는?

하하….

그럴 땐 그냥
내 이름을 대.
웬만한 놈은
알아서 길 거다.

그랬다간
없던 원한도
생기지 않겠냐.
네놈 악명 때문에….

아무래도…

나 때문인 듯하구나.
그 아이에게 보낸 편지에
괜히 널 언급하는 바람에….

아닙니다.
잘하셨어요.

지금까지 잘 대해주셔서
감사합니다.
절대 잊지 않을게요.

그려,
그려.

늦겠다.
어여 가.

…….

여기까지 나온 걸 보니
좀 살 만한가 보구먼.

아아….

…….

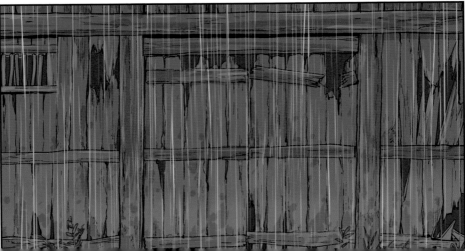

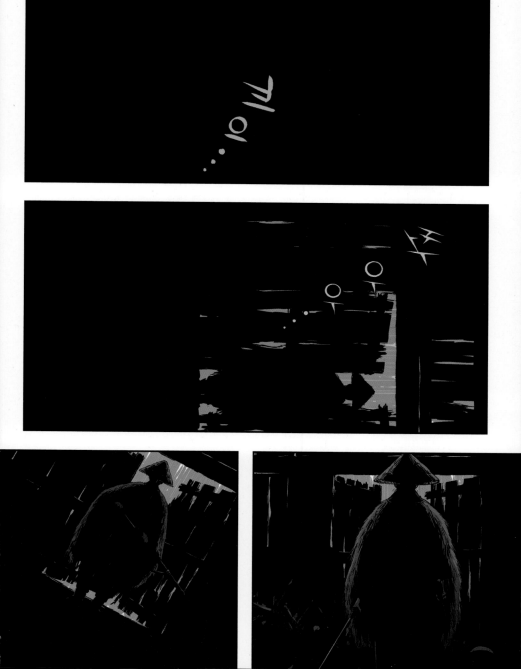

아, 아.
손가락 하나라도
까딱하면
그대로 베겠다!

이런 데서 혼자
뭘 하고 있는 거냐?

고개를 넘던 중에
빈집을 발견하고
비를 피하던 중이라…

신분을
증명할 만한 건
갖고 있겠지?

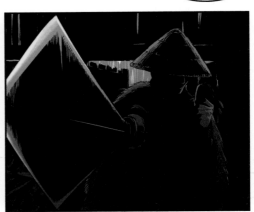

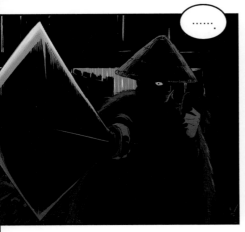

……

계속
혼자 있었나?

자네 말고
여길 들렀거나
지나간 사람은?

흠….

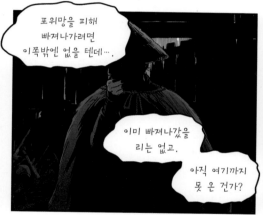

포위망을 피해
빠져나가려면
이쪽밖엔 없을 텐데….

이미 빠져나갔을
리는 없고.

아직 여기까지
못 온 건가?

음?

아…, 내가
말 안 했나?

이곳 관할 현청 소속
즙포 사신이다.

도주 중인 살인범을
추적 중이지.

갑자기
칼을 들이댄 건
미안했네만,

이 상황에 혼자
이런 곳에 있으니
의심할 수밖에 없었네….

내 입장도
이해해주시게.

자넨 계속 여기에 있을 건가?

…하긴 이 빗속에 길을 나서기도 그렇겠군.

암튼 자네도 조심하라고. 놈이 혹시라도 여길 들를지 모르니까.

쿵..

쏴 아 아 아…

…….

음….
뭐, 별건
아니고….

그냥 개인
소장품일세.

하찮은 것들이지.

그나저나
정말 지독한
날씨로군.

산사태로 길이
끊기지나 않을지
걱정이야.

쿵..

쏴
아
아
아
.
.
.

응?

아….
뭐 좀 확인하고
싶은 게 있어서.

글쎄,
뭘까….

내가 쫓고 있는
그 살인범.

무슨 짓을 저질렀는지
알려줄까?

이 지방 세도가 중 한 분인 황보대인과 가솔들 30여 명을 무참하게 살해했어.

부상으로 쓰러져 있던 자신을 구해준 은인들임에도 한 명도 살려두지 않았더군.

이유는 무슨…. 단지 그러고 싶어서 그런 짓을 하는 거야.

보통 사람들이 공감할 수 있는 '이유' 따위 이놈에겐 없어.

한마디로 미친놈이지.

원래 하남 일대에서 악명을 떨쳤던 놈인데,

요 몇 년 동안 조용하다 했더니

이곳으로 흘러 들어온 모양이야.

…….

아냐, 아냐. 현장을 조사해보면 금방 알 수 있어. 틀림없이 같은 놈일세.

살해 수법도 수법이지만 피살자들 모두 앞니가 없었거든.

놈이 '전리품'으로 가져간 거야.

놈을 치아 살인광이라 부르는 이유지.

…왜냐니. 뻔한 것 아니겠나. 그것들을 만지작거리며 당시의 상황을 추억한다거나….

하여간 그런 걸 즐기는 족속이니까, '그놈들'은….

그런 놈들이 항상 전리품들을
몸에 지니고 다니는 게
바로 그 때문이지.

이렇게
말이야!

뻔
쩍

우르르릉··

이것 봐라!

전혀 놀라지도 않네?

역시 이걸 열어본 거야. 그렇지?

아, 어쩐지! 그럴 것 같더라니!

이거 한방 먹었구먼!

아니긴.

여기까지 온 마당에 이제 좀 솔직해져보자고, 우리…

그러니까…

음…. 사실 처음엔 자넬 그냥 두고 갈 생각이었어.

무슨 계획 같은 게 있었던 건 아니고.

갓 포식한 맹수가 새로운 먹잇감에 무관심한 것과 비슷한 이유지.

그래…. 그랬지.

그 더러운 손으로 이걸 만졌다는 걸 알기 전까진 말이야….

꽈드드득.

이제 알겠나? 네놈이 무슨 짓을 저지른 건지?

꾸드드..

나만의 소중한 추억들이,

네놈으로 인해 짓밟히고 더럽혀졌다는 걸 알겠냐고.

푸스스..

이걸 어떻게 갚아줘야 할까?

응?
말해봐.

어떻게 네놈을 죽여야
내 상처가 조금이라도
위로받을 수 있을지….

어?

뭐?

…자수?

예.

뻑

그리고
죗값을
치르세요.

쯔직

......

뭐래,
이 쓰레기가….

어떻게 뒈질지나
선택하라니까….

……

…….

구룡마을에서
치아 살인광인지
뭔지 하는 놈,
잡혔다며?

와!
거기 관병들도
능력 있구먼!

…….

그 신출귀몰한 놈을
어떻게 잡았대?!

자세히는 모르겠고,
하여간 체포하고 보니
폭삭 늙어 있더래!

그리고 실성한 것처럼
알아듣지도 못할 말만
중얼거리더라나.
자수가 어쩌고 저쩌고….

…….

…그거 왠지
염라수 왕악이란 놈과
증상이 비슷한데?

못된 놈들만 걸리는
돌림병 같은 건가?

……

오고 있나 본데?

구룡마을이면
금방 도착하겠다, 얘.

흥.

모르죠.
이리 올지
백마곡으로 갈지.

으음?
백마곡?

뭔 소리야
그게?

91

응?

!

잘들 지내셨어요?

헤헤.

이게 누구야!

으아악!

!!

강 실장...!

도대체 어디 갔다 이제 돌아온 거야?!

난 강 실장이 여기 관둔 줄 알았어!

안 본 지 한 10년은 된 것 같은 기분이구먼!

나도!

하하하!

?

다녀왔습니….

오오오오옷.

드디어 돌아왔구나!

기다리다 못해 곧 포기하려던 참이었거늘!

쿵하하하

응? 둘이 아는 사이였어?

예?

배달 업계도 보기보다 좁구먼.

어…, 아뇨. 배달 업계에서 알게 된 건 아니고요.

뭐?! 장성을 실물로 봤다고?!

장성?! 만리장성 말이야?!

진짜?!

이야…! 나도 웬만큼 멀리 돌아다녔지만 거기까진 못 가봤는데!

자세히 좀 얘기해봐!

우리 강 실장 출세했네, 출세했어!

…….

구채구랑 황산도 가봤대!

캬! 부럽다!

…….

…

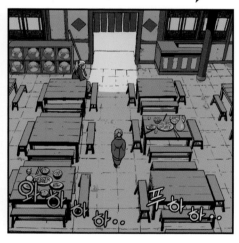

으아아..하아..

푸하 하..

여기서 혼자 뭐 해?

용이랑 한판 뜨기 위해서 지금껏 기다린 거 아니었어?

그럴까 했지만….

하루 정도는
다른 사람들한테
양보하죠 뭐….

오늘만
날도 아니고….

흠….

보기보다
무르다니까….

그럼 빈둥거리지 말고
배달이나 다녀와.
주문 받아놓은 거
잔뜩 있으니까.

…….

더 듣고 싶은데
시간이 없어서
아쉽구먼!

돌아올 때
또 들를게!

예, 예.
안녕히 가세요.

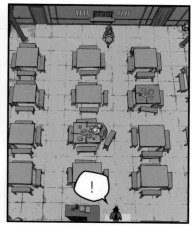

밥 안 먹었지?

와아!
이게 얼마 만이야!

혹시…,

여기 오기 전에
백마곡에
먼저 들렀어?

97

아니.
왜?

으응.
그냥….

그럴까 했는데
이따가 저녁때쯤
가보려고.

근데 백마곡에
볼일 있는 건
어떻게 알았어?

아차!

팍‥

깜빡했네.
이건 주문받은 거였지.

큰일 날 뻔했어.

쫌만 빨리
말하지….

어느 틈에….

턱!

98

이 색골 돼지가 그 만두가 어떤 만둔 줄 알고!

빨리 토해!

가, 가불해서 갚을게.

색골?

누가 너한테 가불해준대?!

그럼 백마곡주한테 꿔서라도….

그냥 죽어!

…….

!

내선향은…?

오는 길에 들러봤어.

그래서…
어떻게
생각해?

…강릉?

어?
아, 미안.

......

근데 그 일이 왜
다른 세 명이 살아 있다는
증거가 되는지는
모르겠어.

'그자'가
그 세 명은 확실히
죽었다고 하던데.

그 말을
믿어?

증거는?

수집 중
이야.

뭐라?

아, 물론
소소한 증거들은
꽤 있어.

결정적 증거랄
만한 게 아직
없어서 그렇지…

그럼 그
소소한 증거라도
내놔봐!

네가 갑자기
연락하는 바람에
못 가져왔어.

담에 정리해서
갖다줄게.

구라치다
걸리면
어찌 되는지
알지?

알았어,
알았어.

지금 증거를
추적하고 있는
양정학 조장이
복귀하면,

아마 좀 더
구체적인 걸
알게 될 거야.

그럼
그때 다시
연락줘.

참,
'거기'선
지낼 만했어?

…응.

다들 좋은
분들이셔서….

102

담에 나랑
같이 가볼래?

생각해볼게.

......

강룡!

맞지,
네 이름?

나는
도겸이라
한다.

생각해보니
내 이름을 알려준 적도
없는 것 같아서.

......

너 이놈...,
설마 내 얼굴을
까먹은 거냐.

우허허...

아!

아하. 난 또 누구라고. 어쩐지 아까 볼 때부터 낯이 익더라.

늦었어!

자세 잡아, 이쉔! 오늘 넘어가준다는 거 취소다!

…뭐야? 나하고 또 싸우려고?

그럼 네놈이 이뻐서 기다린 줄 아냐!

셋 셀 동안 자세 안 잡으면 바로 들어간다?

좀 봐줘라. 너하고는 다시 싸우고 싶지 않아.

이기기도 힘들고 피곤하기도 하고.

다시 싸우고 싶지 않다?

이기기 힘들다?

호오….

그 말인즉슨, 이 도겸이 두렵다는?

응.

아니, 가만. 이런 식의 전개는 예상 못했는데…?

손자병법에도 싸우지 않고 이기는 것이 최선이라 했지만…

…뭔가 쪼끔 찜찜한 기분이.

아, 그렇지. 너 여기저기서 꽤나 원한을 사고 다닌 모양이던데?

다짜고짜 객점을 습격해오는 놈들이 있지 않나…

몰라. 기억 안 나.

…그러냐? 뭐 아무튼 그중 한 명을 놓쳤는데,

얼핏 보기에 그놈, 괴상한 가면 같은 걸 쓰고 있더라고….

뭐?

뭐?

정말이야?

틀림없는 듯
합니다.
직접 만나
보시지요.

!

이거
영광이오.

고귀하신
백마곡의 곡주님은
방문객을 직접
상대하지 않는다
들었는데.

그대가 진짜
백마곡주인지에
대해선 여전히
의문이 남지만….

그렇다면 직접 시험해 보든지…!

이…럴 수가….

후

'결정적 증거'가 제 발로…!

쿡 쿡 쿡

그럴까?

109

꼬꼬댁.

아, 쫌 그만하고 문이나 열어주세요. 만두 다 식겠어요.

어, 허허허. 미안, 미안. 하도 오랜만이라 반가워서 그만.

꼭두새벽부터 배달시켜서 화난 건 아니지?

화는요…. 이렇게 일찍부터 단식이라니, 무슨 큰일이라도 있나 보죠?

한두 가지가 아니야. 사실 그동안 강 실장이 없어서 쭉 참고 있었는데 복귀했다는 소식 듣고 이제 단식 들어가는 거지.

쌓인 문제들 다 풀려면 좀 오래 걸릴 것 같아.

…….

많이 마르셨네요. 어디 안 좋으세요?

한 1년 단식을 못해서 그렇지 뭐. 앞으로 좋아지겠지.

아…, 예.

근데 도 실장이란 친구도 충분히 배달해줄 수 있었을 텐데요?

음…, 그 얘긴 나도 들었네만….

비밀이란 아는 사람이 적을수록 좋은 법 아니겠나.

그렇긴 합죠.

짤랑..

아무튼 강 실장이 돌아와서 너무 좋구먼.

단식 끝나면 객점에 들를 테니 회포는 그때 풀자고.

옙. 잘되시길 바랄게요.

^ ^

일찍 출근하네요, 우복 형.

어!

용이!

너 인마, 언제 돌아온 거야!

한 이틀 됐어요.

형수님이랑 꼬맹이들은 잘 있죠?

만두 배달?

이런 시각에 만두 시켜 먹는 진상은 대체 어떤 인간이야?

영업 비밀이야. 너무 많은 걸 알려 하지 마셔.

ㅎㅎ

형이야 말로 맨날 이 시각에 출근해요?

아, 오늘 계약하기로 약속한 곳이 좀 멀리 있어서 일찍 나서는 중이다.

계약 마무리 짓고 돌아오면 점심 때쯤 될 거 같은데.

오늘은 객점에 계속 있을 거지?

예.

그럼 이따 객점에 들를 테니 식사나 같이 하자.

그래요.

하아암.

……

싹 싹 싹..

일찍
일어났네.

네가 늦게
일어난 거야.

최악

미안, 미안.
새벽에 일이 있어서
잠을 설쳤어.

대신 텃밭 정리는
내가 할게.

어디 가시는
거예요, 엄마!

얘는….

사냥꾼이
사냥터에 가지
어딜 가겠니?

1년 넘게 조용하더니
또 시작하는 거예요?

그러니 그 1년 동안
내가 얼마나
힘들었겠냐.

그동안은 너 보기
딱해서 참았다만 이젠
용이도 돌아오고
했으니….

뭔 소리예요.
거기서 용이가
왜 나와.

누구…신지?

!

야, 야!
정신줄 놓지 마!
저분, 점장님이야!

어?
뭐?

117

비켜, 이것들아! 나 올 때까지 가게나 잘 봐!

점장님….

어쩌라고? 그거 좀 놀렸다고 기분 상했다 이거야?!

결혼해주십쇼!

엄마!

나 아무것도 안 했다. 늬들도 봤잖니. 얘가 제멋대로 낚여서 이러는 거야. ^ ^;;

너 빨리 안 돌아갈래!

마을까지 안전하게 모셔다 드리겠습니다.

쓸데없는 짓 말고 돌아가, 빨리!

안전하게 도착하시는 걸 보기 전까진 안 됩니다.

자꾸 까불면 화장 지운다?!

......

정말이지….

......

송예린 씨.

하지 마.

오늘 어쩌면 새아빠가 생길….

아, 하지 말라고, 이 깐죽아!

상상하게 되잖아.

120

써보고 괜찮으면 주변 사람들한테도 추천해주겠네.

아, 예. 감사합니다! 물건은 되도록 빨리 받으실 수 있도록 조치해두겠습니다!

점심 시간까지 돌아가려면 서둘러야겠네….

오늘 같은 날은 꼭 이렇다니까.

월천교 가서 형수님이라도 모시고 올까?

지금 그럴 시간이 어딨어! 빨리 음식들이나 갖다드려!

어이, 강 실장—!

예! 지금 갑니다!

……

강 실장

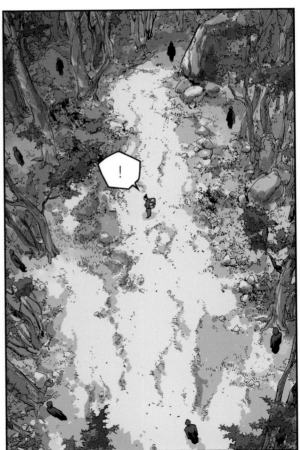

낯익은 놈들은 아니지만…,

이런 상황을 불러올 만한 짓을 한 게 어디 한두 번이었어야지…

춥….

!

선약 때문에 시간이 많지 않아.

구질구질한 사연들은 집어치우고 바로 시작하자고.

!

어,
다녀오셨어요?

지워졌네,
화장….

도 실장은요?

알 게 뭐야,
그따위 놈.

비켜!

……

뭘 물어보고 그래.
화장 지워진 거 보면
뻔한 상황이지.

그,
그런가…?

127

어, 그러고 보니 오늘 우복 형 가게 들른다 했었는데?

바빠서 잊었거나 다른 급한 볼일이 생겼겠지.

…… 그렇겠지, 역시…?

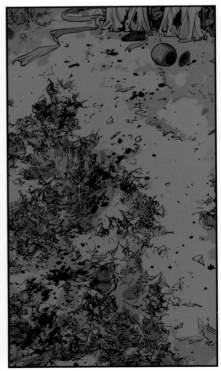

잘 먹을게!

이제
자주 좀 보자고,
강 실장!

예,
맛있게 드세요!

얘들아!

통통한 형아
왔다ー!

……

안 계시네….

그럼 만두는 그냥 두고 가야겠다.

식기 전에 돌아오면 좋겠는데….

......

펄럭..

그나저나
우복 형은
어떻게 된 거야.

뭐 찾냐?

도토리라도
찾고 있냐?

호오오.
'쳇'이라…

그게 무슨
뜻일라나?

ㅋㅋㅋ

스승의 복수를 위해
떠난 거라던데….

갔던 일은
잘 해결됐나?

……

뭐 쓸데없는 거까지
신경 쓰는 척하고 그래?

내 걱정이라도
하고 있었냐, 설마.

재수라곤 해도
내 칼을 버텨낸 놈이
퇴물 늙다리한테
깨지면 내 체면이…

아하,
그러셔…?

오랜만에 나를 보니
뼈마디가 근질근질한
모양인데, 오늘 한번…

가면 쓴 놈들을
조심해야 할 거다.

…뭐?

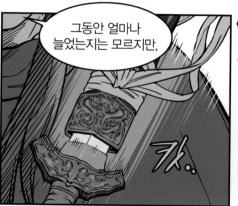

그동안 얼마나
늘었는지는 모르지만,

꺄..

눈 똑바로 뜨고
잘 봐!

흐읏

퀴옹

뚜뚝 아아악

도망치는 재주 하나는
여전하군.

그럼.

야, 인마!
숙

더 놀아주고
싶지만,

나도 가야 할 데가
있어서 말이야….

만약 이번 일이
내가 찾는 자와
관련된 일이라면,

…돌아오지
못할 수도 있어.

그게 아니라 해도
지금처럼 어수선한 백마곡엔
별로 돌아오고 싶지 않지만….

141

어쨌든 돌아오게 된다면,

그때 다시 놀아주지.

뭐…야, 저 자식.

일방적으로 지 할 말만 하고 가버리는 거냐….

늦었구만.

도중에
일이 좀 있었어요.

도 실장은 아직
자고 있나 보죠?

자는지 아닌지는
모르지만 아직
내려오진 않았다.
…왜?

물어볼 게 있어서요….
제가 한번
올라가볼게요….

배고프면 알아서
내려오겠지.

그보다
배달 1건 더
들어왔다.

어딘데요?

황룡사.

어제 배달한 게
이틀 치였던 거 같은데
벌써 다 드셨나?

목 빠지게
기다리고 있을 테니
빨리 갖다줘.

143

알았어요.
그럼 다녀올게요.

삐약
삐약.

뽀르르
뽕뽕~.

......

큰 스니―임,
저 왔어요.
강 실장입니다.

콩
콩

어,
안 계시네?

만두만 두고 가야겠다.
…돈은 담에 받으면
되니까.

그럼….

이건….

……

스님.

큰 스님ㅡ!

큰 스님!

지율 스님!

혜몽 스님!

아무도
안 계세요?!

…가면 쓴 놈들을
조심해.

괴상한 가면 같은 걸
쓰고 있더라고.

……·

도 실장 아직 방에 있죠?!

에그, 깜짝이야!

좀 전에 정신 좀 차리고 오겠다고 비실비실 나갔는데…. 왜, 뭔 일 있어?

?

어디로요?!

아, 낸들 알겠냐! 산책 간다 했으니 어디 근처에서 어슬렁거리고 있겠지!

그 흉측하게 생긴 가면은 뭐야?

뭐야,
네놈들은…?

왜 아까부터
쥐새끼처럼 내 뒤를
졸졸 따라다녀?

이리 나와!

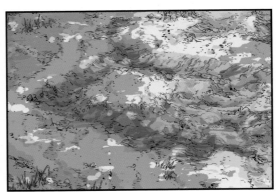

싸운 흔적?

아니.
그렇다고 보기엔
너무 약해….

한두 합에
승부가 났다면
모를까….

한두 합만에
제압한다고?
그 녀석을…?

그럴 리가….

싸움 장소를
다른 곳으로
옮겼거나….

아니면 지금쯤
객점으로 다시
돌아와 있을 수도
있겠어.

도 실장 돌아왔어요?

!

아직 안 왔다.

어딜 그리 쏘다니나 했더니 여태 걔 찾아 다닌 게야?

아, 예…

근데 그 친구 평소에도 이렇게 오래 자리 비운 적 있어요?

그랬으면 내가 가만뒀겠냐. 오늘은 정상 상태도 아니고 하니까 그냥 넘어가주는 거지.

쓸데없는 걱정 그만하고 배달이나 다녀와.

까막눈 왕 노패! 너 왔다는 소식 들은 모양이야.

!

왕 할머니…

건강하게 잘 계시죠?

그래. 보면 반가워 할 게다.

156

…참, 그리고 황룡사 스님들 말이에요.

응? 황룡사 중들이 왜?

갑자기 황룡사를 텅 비우고 모두 어디로 떠나거나 하는 일이 예전에도 있었나요?

글쎄다. 가끔 한번씩 빈민들 돕는답시고 우르르 몰려가는 일이 있긴 하지만,

그래도 일부는 남아서 절간 관리를 해야 하니까 완전히 텅 비진 않지.

그건 너도 몇 번 봐서 알 텐데?

?!

그…렇겠죠, 역시.

흠…

황룡사가 텅 비었다고?

어… 아냐, 아냐. 꼭 그렇다는 건 아니고.

내가 착각한 걸 수도 있으니까….

뭔 소리야?

암것도 아녜요. 하여간 일단 다녀올게요.

……

뭐야, 저 녀석? 갑자기 뭔가 횡설수설하는 것 같지?

그러네요.

……

흐음…

새들을 불러서 물어봐야 하나….

할머니ㅡ! 저 왔어요ㅡ!

158

삼거리객점
강 실장이에요,
할머니!

잠시 어디
가셨나…?

……

아직
안 오셨나 보네…

음?!

벌컥

할머니ー!

왕 할머니!

샥‥

파
앙
!

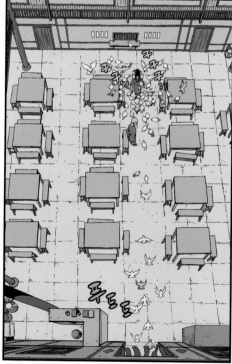

......
도대체
무슨 일이 벌어지고
있는 건지….

응?
왜?

황룡사뿐만이
아니에요.

뭐?

우리 가게
단골 주문 손님들 중에서도
꽤 많은 사람들이….

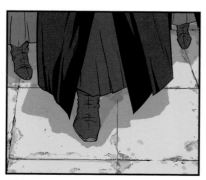

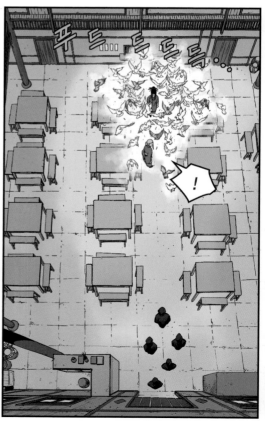

푸드……드드드득….

!

164

어서 오시우.

손님 아니에요.

아?

손님 아니라고요,
이 사람들.

꾸물…

구우…

황룡사 스님들과
사람들이 사라진 건
이자들 짓이에요.

뭐어?!

……

용안(龍眼)의 소유자
성심천녀의 딸이라더니,
과연….

새들과 교감하는
힘도 있었던가.

165

죄 없는 사람들을 함부로 해치고 다니다니 천벌이 두렵지도 않나?

천벌 따위가 두려우면 이런 일을 할 수 있을까.

순순히 따르기만 한다면 우리도 굳이 피를 보고 싶진 않소만.

어쩌시겠소?

……

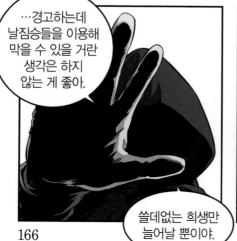

…경고하는데 날짐승들을 이용해 막을 수 있을 거란 생각은 하지 않는 게 좋아.

쓸데없는 희생만 늘어날 뿐이야.

제 뒤쪽으로 와요, 엄마.

166

168

후….

하마터면
들킬 뻔했네.

뚠뚠이 주제에
눈치는 빨라가지고….

할머니가 사라진 게
댁이 한 짓이야?

까악!

그러고 보니 전에 한번 본 적이 있는 것 같은데, 당신….

아, 몰라! 기억 안 나! 난 오늘 처음 봐!

그리고 초면에 얻다 대고 여보 당신이야, 여보 당신이!

내가 그렇게 쉬워 보여?!

내가 언제 여보라고….

아, 진짜 사람 말 못 믿네!

오랜만에 남친 만나러 왔다가 초면인 댁이 씩씩거리는 모습에 놀라서 자리를 피한 거라니까!

도대체 몇 번이나 말해야 알겠어?!

……

…이 근처엔 왕 할머니 댁 말고 다른 집은 없는 걸로 알고 있는데….

그럼 그 남친이란 사람 어디에 사는지 말해보실까?

......

이 뚱땡이가 진짜….

왕 언니!

언니!

아! 저깄다!

아악!!

우아앗?!

삼거리객점이…
어떻게 됐다고?

82화

…아무튼. 이쪽도 이쪽의 사정이란 게 있어서 말이야….

!

가급적 흠집 없이 데려가는 게 좋겠지만,

저항할 시 사정을 둘 필요는 없다!

음?!

우욱!

윽!

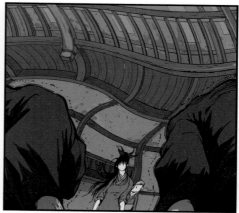

!

이런…
어느 틈에?!

......

쿡…!

후

대…단하군.

직접 손을 쓰고 싶진 않았지만,

이렇게까지 나온다면 할 수 없지!

쿠.

!

예린아─!

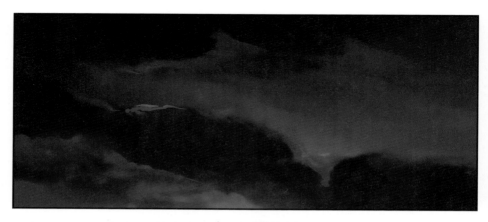

…없어.

어디로 간 건지
흔적조차
찾을 수가….

…우복 형이
시작이었나?

이어서
형수님과 아이들…,

그리고….

황룡사 스님들과
할머니,

미리 정해진
일정이 아님에도
내가 가는 곳을 정확히
예측하고 미리 움직였어.

'가면 쓴 자'가
내가 생각하는 그자와
관련된 자들이라면….

어떻게
그럴 수가 있지?

186

놈이 이렇게
활개치고 다니도록
백마곡은 도대체
뭘 하고 있었던 거야!

…지금처럼
어수선한 백마곡엔
별로 돌아오고 싶지 않지만….

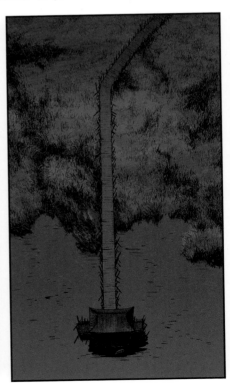

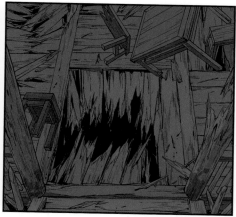

......

설…마
백마곡까지….

190

막아냈나.

거긴
건너가도
아무도 없다.

이쪽으로
오너라.

......

백마곡….

네놈과 교류가 있는 집단이라 들었다.

행여 네놈의 조력자가 될지도 모를 그런 우환 거리를

내가 한 놈이라도 살려두었을 거라 생각하느냐?

……

전부 다 죽였다고? 당신이?

믿는 건 네 맘일 테지.

한데….

그따위
자객 놈들보다
다른 쪽의 생사를
더 궁금해해야
하지 않나?

예를 들면…

쿡 쿡 쿡…

객점에 같이 있던
그 처자라든가!

83화

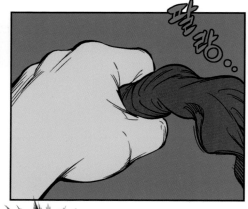

예린이
머리띠?

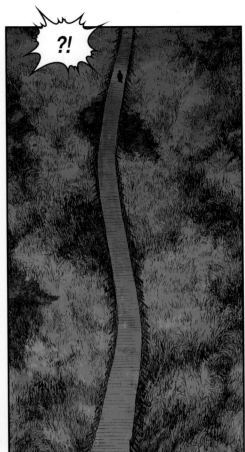

어떠냐.
눈에 익은
물건 아닌가?

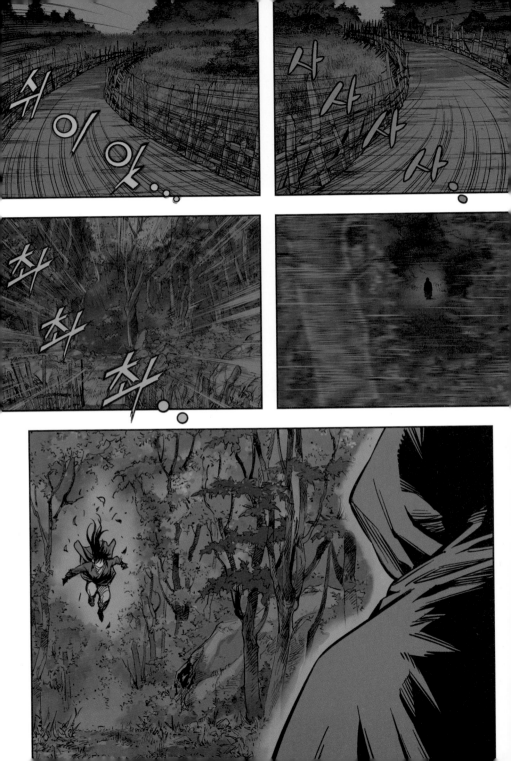

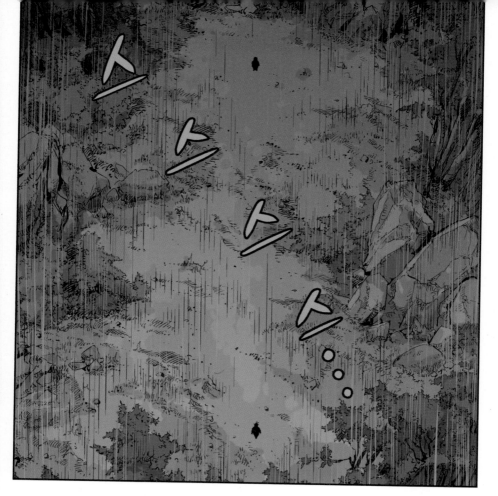

'그것'의 주인이 누구인지는
내 입으로 알려주지
않아도 되겠지?

어째서
이렇게까지….

다른 사람들은
우리 일과 관련이
없다는 걸 알 텐데?!

무슨
한심한 소리를….

조금 번거롭긴 해도
안전하게 네놈을
제압할 수 있는
방법이 있다면,

굳이 위험을 감수할
필요가 있을까?

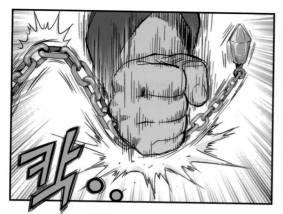

아, 아.

인질로 잡혀 있는 사람들도
생각 좀 하지그래?

!

네 말대로 그들은
우리와는 아무 관련도
없는 사람들!

그러니 너로 인해
고통받아야 할 이유 또한
없지 않겠나.

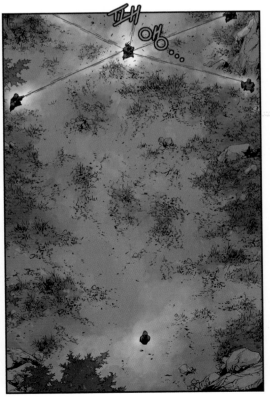

끼·기긱··

끼긱··

끼잉억··

끼긱··

끼기긱··

끼긱··

끼긱··

끼긱··

그렇지···.

그렇게
나와야지.

히읗··

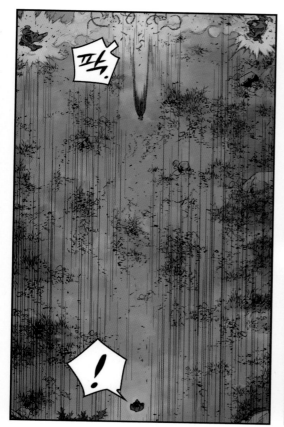

이거야···.

인질들의 목숨은 안중에 없는 건가.

크으윽...

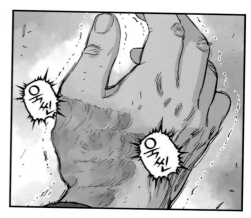

…아니면,

단숨에 나를 제압해
인질들과 교환하려는
계산이었나?

어느 쪽이든
일반적인 반응은
아니지만,

실망스럽긴
마찬가지!

틱‥

!

이‥!

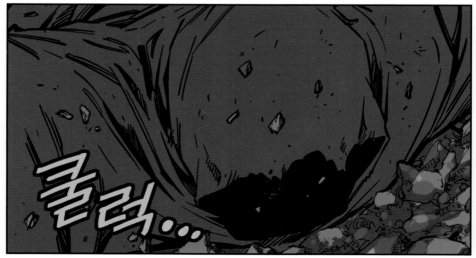

쿨럭‥

214

…시작한 싸움은
마무리를 지어야지.

안 그러냐,
용아…?

이것으로…

인질들은 모두 사망!

네 선택의 결과니 후회는 없겠지?

뭐…야, 이게…?

219

네 생각은
어때?

장난일 것
같아?

뭐?!

자박‥

도대체
왜 이러는지…
설명이라도
해봐.

지금까지의 일로도
설명이 부족해?

중복 의뢰의 경우,
먼저 계약한 자를
우선하는 것이 원칙이고
지금까지 그 원칙을
어긴 적은 한 번도 없어.

하지만 이번 의뢰인은
우리가 원칙을 깰 수밖에 없는
조건을 제시해왔다…,

…정도로만
해두지!

……

그 의뢰인이란 자가….

안됐지만,

의뢰인에 대한 정보 누설은 금지야.

알아서 추측해.

……

그럼…
사람들을 납치한 건 의뢰한 자들 쪽이야, 아니면….

어느 쪽이든 달라질 게 있어?

사부님과의 약속을
마무리 짓기까지
나는 내 삶을 살지 못해.

그러니
개인적인 사정으로
그 약속을 망쳐버릴 행동은
할 수도 없고, 하지도 않아!

…모두들
나에 대해 잘못
생각하고 있어.

나를 구속하기 위한
인질극 같은 건
애초부터 소용없다는
뜻이야.

요원들을 물러서게 하고
나를 그들에게 안내해.

앞으로 내 일에서
손을 떼는 조건으로
지금까지의 행위는
모두 잊어주지!

…….

글쎄….
그건 안 되겠는데?

너를 그들 앞에 데려가는 건 계약 내용과 일치하지만,

'저항 불능의 상태'거나 '시신'으로! ⋯라는 단서가 붙어 있어서 말이야.

경고는 한 번뿐이야.

더 이상 나를 화나게 하지 마!

⋯너는 그게 문제야, 강룡.

마음만 먹는다면 백마곡 정도는 언제든 부숴버릴 수 있다는 그 오만한 태도.

한두 번은 그냥 넘겼지만 반복되다 보면 속에서 뜨거운 게 치미는 건 어쩔 수 없단 말이지.

나름 호감을 갖고 있던 내가 이럴진대,

아직 네게 앙금이 남아 있는 사람들은 어떻겠어?

내가 막아줄 수 있는 것도 여기까지.

해봐!

어차피 좋게 끝날 순 없게 됐잖아.

이렇게까지 된 마당에 피차 사정 따윈 봐줄 필요 없어.

....

228

용아···.

틱··

쾅

형은 이번 일과
상관없으니까
끼어들지 마!

크윽!

끄끅··

!

끄아

끄따

윽!

크…!

…?!

꾸뜰윽‥

가족들이 인질로
잡혀 있어서
이러는 거야?

형하고는
싸우고 싶지
않아.

부탁이니까
제발 빠져 있어!

그렇게 복잡하게
생각할 필요 없어.

지금 나는
네 목숨을
노리고 있는
'적'이다!

계속 그렇게 물러빠진
태도로 대하려 들다간
나에게 먹히게 될 거다.

!

우드득...

형!

퍼억

오랜만이구나,
파천신군의 제자!

!

......

우복 형!

아직도
형 타령이냐?

내가
말했을 텐데.

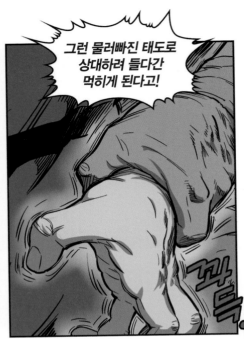

그런 물러빠진 태도로
상대하려 들다간
먹히게 된다고!

꽈득.

슉.

으악.

으악.

꾸드득‥

꾸드득‥

…… 어때, 강룡.
쉽지 않지?

그들을 뚫고
나까지 올 수는
있겠어?

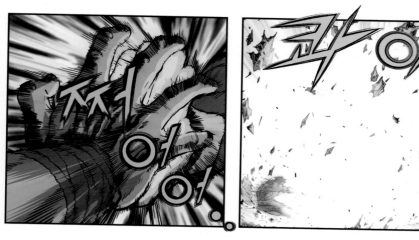

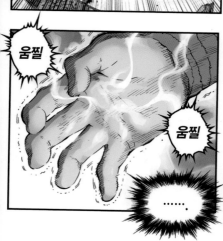

움찔

움찔

......

그런 상태에서
받아치다니…!

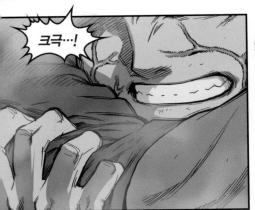

파

악

뻐

억

°
°

쿳!

흥

°
°

으윽….

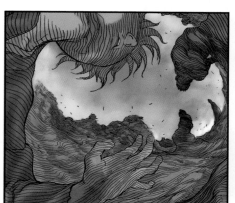

의식이…

…이…건 설마….

…그렇다면,

그 사패천이라는 분 말고 또 염두에 둬야 할 사람은 없나요?

······

강호에는··· 익히 알려진 문파 외에도 상상을 초월하는 기인, 괴협들이 수없이 존재하느니라.

본좌가 중원 출정을 나서기 전, 무림을 뒤흔들었던 '혈교'의 무리들이 그러했고,

그들과 맞서 싸운 수많은 고수들 또한 그러하다.

게다가 세상일에 관여치 않고 오로지 자신의 성취만을 추구하는 은거 기인들도 있느니라.

앞의 두 부류는 백방으로 찾아보았으나 만나지 못했다.

한쪽은 생존자가 있는지조차 불투명했고, 다른 한쪽은 모두 속세를 떠났다고 하더구나.

그들 중 유일하게 만난 사패천은···,

아쉽게도 정상적인 상태가 아니었으니···.

그밖에 숱한 은둔 고수들을 찾아다녔지만,

정작 만나고 싶은 이는 만나지도 못하고 대부분 이름값도 못하는 졸장부들이었다.

만나고 싶은 사람이 있으셨어요?

…많지. 그중에서도….

'흡성대법'이라는… 상대의 기를 빨아들여 절명에 이르게 하는 기괴한 무공의 소유자.

하나, 전수 방법이 워낙 은밀한 데다 그 무공을 익힐 수 있는 특수 체질을 가진 이가 드물어 이미 실전된 지 오래라 들었느니라.

그리고….

갈 때 됐죠,
사부님?

끝까지 들어,
이 녀석아!

버럭…

……

그땐 흘려들었건만
흡성 무공 같은 것이
실재할 줄이야.

그것도
하필이면….

콰직

윽

퉁

！

조금 얕았나?

자박‥

지난 수모를 갚겠다,
파천신군의 제자!

뚜둑

곡주께서는
되도록 산 채로
잡길 원하시지만,

시작하면
끝을 보는 성격이라
잘 될지 모르겠군.
너무 믿진 말게.

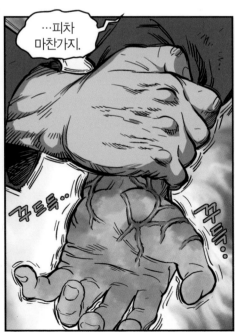

…피차
마찬가지.

꾸드득…

꾸득…

나 역시
이런 경험은 처음이어서
어느 정도나 힘을 조절해야
죽이지 않고 제압할 수 있을지
감이 안 오는군.

후…

네놈이 자초한 일이니
원망하지 말라!

......

자네에게
기를 빼앗긴 뒤로
움직임이 눈에 띄게
둔해졌군.

이거 내가
설욕할 기회는
안 올지도
모르겠는데…?

그럴 리가….

내가 흡수한 기가
녀석이 가진 내력의
절반을 넘지 않을 텐데.

그럼에도
이 정도라니….

지금까지 만난
어떤 자와도
비교가 안 돼!

이것이
수련만으로 저 나이에
이를 수 있는
경지인가…?

바꾸어 말하면,
지금 녀석에게 남아 있는
내력만으로도….

음!

!

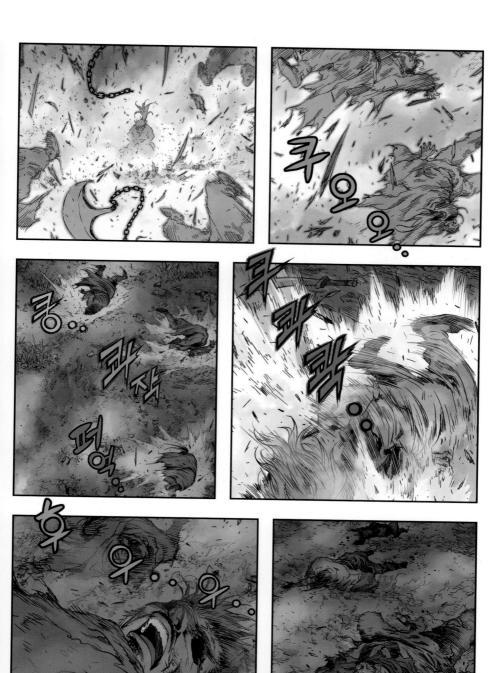

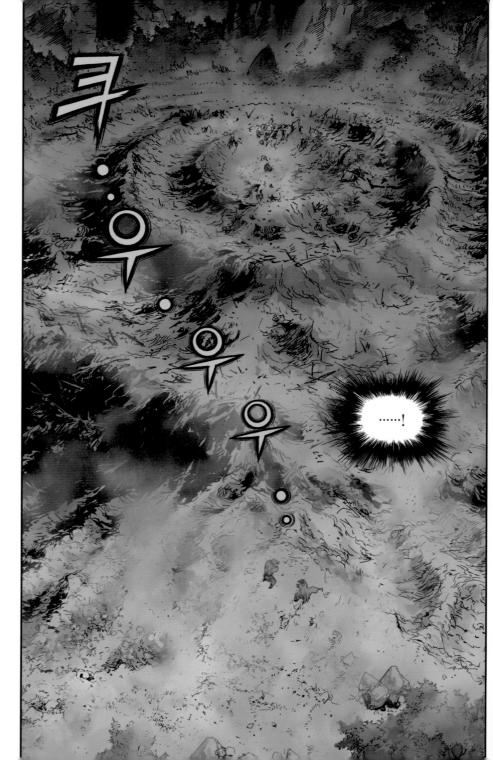

하지만…

그런 상태로 계속
기의 소모가 심한 무공을
사용하는 건 자살행위나
다름 없다.

그럴수록 내력이
극심하게 소진되고
혈맥은 뒤틀리게 될 터!

너도 느끼고
있을 테지?!

이럴 때는 여기서 벗어나 내공의 회복을 꾀하거나,

무리한 공력의 사용을 자제하고 내력을 안정적으로 조절할 수 있을 때까지 지구전 전략으로 가는 것이 상책이다.

자···, 어떻게 할 테냐?

적이라···.

알았어.

최대한 빨리
끝내주지!

!

묵륜공!

음?!

무어냐…,

묵륜공을
집어삼키는
저 거대한 기는!

......

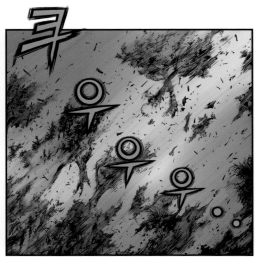

크
우
우
우

쿠
쿠
쿠

콰
아
아
아

......

......

크윽…!

도대체
뭐가 어떻게
돼가는 거야!

우
웅

…분명히,

시작은
'놈'쪽이 먼저…
였는데….

윽…!

저건…!

이대로 있다간
휩쓸린다!
좀 더 멀리
떨어져야 돼!

치익…!

!

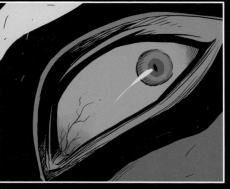

빌어먹을!

이래서야
제대로 상황 파악을
할 수가 있나!

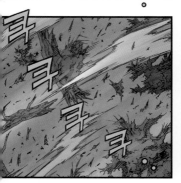

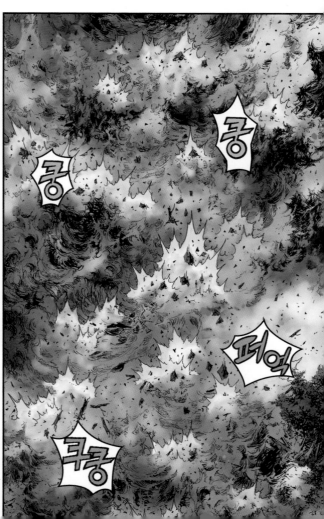

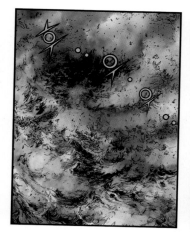
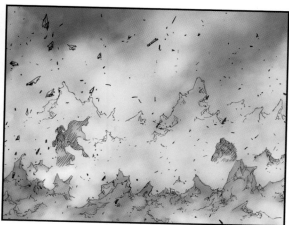

……

이건 네가
자초한 일이야,
강룡.

좀 더 시간이
있었다면
다른 방법을
취할 수도
있었겠지만….

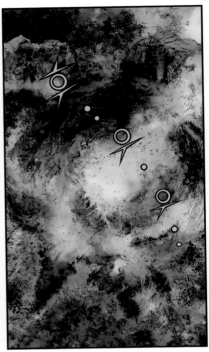

……
그렇단 말이지…

끼이…

백마곡 측이 도착했습니다.

알았다.

확인해봐.

옛!

……

아닙니다!

!

저희가 봤던 모습과는
완전히 다른 자입니다.

흐흥….
그런가.

커억!
윽…!

네놈들이 우리를
염탐하고 있다는 걸
모를 줄 알았나.

하면 묻겠다.
정말 마지막까지
눈을 떼지 않고
다 보았는가?

말해봐!

크극!

저…!

뭐 하는
짓이냐!

끄억…

!

이, 이런…!

아직 숨은
붙어 있습니다!

물러
나거라!

……

흡…성대법
이라니…!

그래서…
'놈'이 저런 꼴이 된 건
자네에게 당했기
때문이다?

그렇소.

못 믿겠으면
직접 체험해
보시든지!

우둑…

뭐, 좋아….
그보단 더 간단히
확인할 수 있는
방법이 있지.

놈을 이리
데려오너라!

먼저
'약속'부터
지켜주실까?

그전에,

약속?

며칠 되지도 않았는데 망령이라도 드셨나.

어머니가 풀려났다는 확실한 증거!

내 눈으로 그것을 확인하기 전까지는 넘겨줄 수 없지!!

내가 그런 약속을 했던가…?

86화

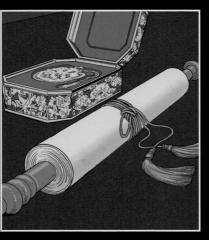

가령아,
보거라….

어머니 필체!

…네 충고대로,
때론 여행을 하는 것이
병의 회복에 도움이
되는 것 같구나.

같이 보내는 옥패는
일전에 네게 주기로 한
네 아버지의 유품이니
잘 간직하도록 하거라.

…편지를 전하는 이는
이 어미가 당분간 머물기로 한
장원의 주인 심우현 대인이란 분으로,
대접에 소홀함이 없도록……

......

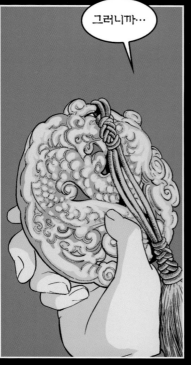

그러니까…

당신들이
병환 중인 내 어머니를
인질로 잡고 있다
이건가?

과연….
백마곡이라는 조직을 이끄는 수장답게 이해가 빨라.

껄。。。

……

꽈득

그럼…,

거두절미하고 의뢰 내용부터 알려드리지.

…약속을 지킬 생각 따윈 처음부터 없었군!

그저 '놈'의 기량이나 가늠해볼까 했는데….

미끼로 쓴 **늑대**가 도리어 사냥감인 **범**을 물어 죽인 꼴이 됐으니.

지킬 생각이 없었다기보다…,

지킬 필요가 없을 줄 알았지.

이런 결과는 나로서도 전혀 예상치 못했거든.

놈을 잡기까지의 과정은 아주 인상적이었네.

설마 인질극 같은 걸 따라할 줄이야.

…사실 처음부터 그대들을 믿지 않았어.

하나, 그대의 모친을 인질로 잡고 있는 이상, 섣부른 행동은 못할 거란 계산이었지.

주변 사람들을 하나둘씩 납치해 초조하게 만든 다음,

흥분한 상대가 채 냉정을 찾기 전에 협공으로 제압….

파천신공을 깨뜨릴 정도의 무공을 소유했음에도 어떻게 그처럼 신중할 수 있는지 실로 감탄하게 되는구먼….

아무튼 그런 관계로…

미처 '약속'을 지킬 준비를 하지 못했다네.

그따위 변명이나 듣자고 이곳까지 온 게 아니야!

…다시 한번 말하지만 당장 어머니의 신변에 위험이 사라졌다는 증거를 제시하지 않는다면,

이대로 데리고 돌아가겠다!

이거 원…. 보기보다 성미가 급하시군.

내 말을 듣긴 한 건가.

흠..

좋아. 이렇게 하세. 지금 당장 연락을 취해 그대 모친 주변의 인원들을 모두 철수시키겠다.

필요하다면 수하들을 보내 직접 확인해도 좋아.

단, 확인될 때까지 그대들은 일시 포박해 나의 통제하에 두어야겠어!

……

내가 왜 그런 일방적인 요구에 응해야 하지?

모친의 안전이 확보되는 즉시, 그대가 나를 공격하지 않는다는 보장이 없으니까!

291

그래도 돌아가겠다면
모친의 죽음을
감수해야 할 게야.

!

매일 한 번씩…
내게서 아무런 연락이
없을 경우,
죽이라 일러두었거든.

자꾸
착각하는 것
같은데…,

이 상황에서
그대가 취할 수 있는
선택지는 거의 없어!

키득..

한때 천하를 호령했던
사천왕 중 한 분께서
고작 자객 몇 명이 무서워
굳이 결박까지 해야
안심하겠다?

지나가던
개가 웃겠군.

소용없네.
그 정도의 도발에는
넘어가지 않아.

자, 그럼
그대도 동의한 것으로
알고….

어쨌든
조심해서 나쁠 건
없으니까.

……

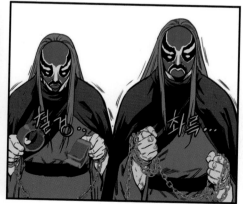

자아…,
팔을 앞으로
내밀어주실까?

이런 상황에서
최대한 빨리
저놈을 제압한 뒤,

놈과 어머니의
교환에 성공할 수
있을까…?

…안 돼.
도박을 할 순 없어.

하여간
참고조차 못 된다니까,
너의 그 무모한 방식은.

시익

시익

빼이

빼이…

!

……

빼아…

음.

아니!

!

호오….
모친은
포기하는 건가?

글쎄.
어떨지….

후.

……

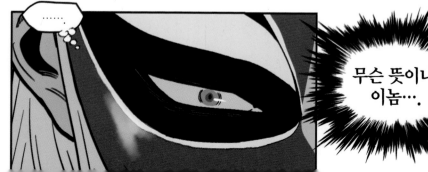

무슨 뜻이냐,
이놈….

?!

…….
이런,
설마…!

역시….

흐,
이거야….

용케도 모친이 있는 곳을 찾아냈나 보군.

하면, 그동안 벌였던 모든 일들이 신중을 기하기 위해서가 아니라 단지 모친을 구할 시간을 벌기 위한 수작이었던가?

과연….

파천문이라는 조직을 이끌던 수장답게 이해가 빨라!

!

이 애송이가….

그건…

그런데… 틀림없이 구해내긴 한 건가?

'그곳'을 지키는 요원들이 그리 쉽게 당할 리가 없을 텐데….

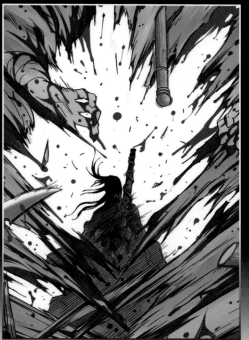

누구를
보냈는지에 따라
다르지!

…그런 것보다,
본인 걱정이나
하시지.

감히 어머니를
이런 일에 끌어들인 대가는
혹독하게 치르게 해줄
생각이니까.

후우

......

싸?!

멍청한 것들 때문에
잠깐의 유흥조차
즐기기 어렵구먼.

뭐, 어차피
그렇게 됐다면
할 수 없지.

따악..

드득

음?!

크악!

끄극…!

이건….

백마곡….

최근에야 알게 됐지만
네놈들, 암암리에
'우리'에 대한 뒷조사를
하고 있었더군.

목적이
어디에 있든,

그것만으로도 이미
백마곡의 멸문은
결정되어 있었더니라!

305

87화

으윽!

……!

지끈

지끈

역시…!

조심해!

독공(毒功)을
수련한 놈들이야!

…설사 그 말이 사실이라 해도 그런 신비 무학의 후계자가 기껏 청부조직의 하수인으로 살아간다?

어설프게 파문당한 얼치기라면 모를까, 필시 정통 후계자는 아닐 터!

빠아…

콰직

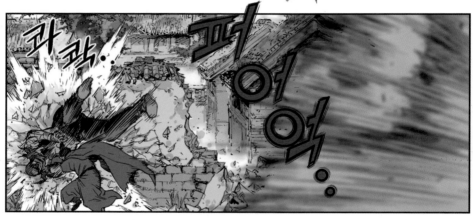

콰콰…

퍼엉

음?

쿠쿠쿠…

저…!

!

…!

으…

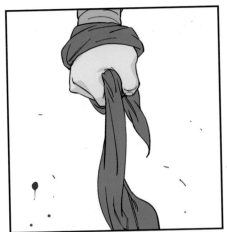

천 쪼가리를
무기 대신
사용한 건가.

시간 낭비
하지 말고,

당신이 직접
나서는 게
좋을 거야.

쿡쿡.

파아악

뭐야,
이것들은!

상처나
통증 같은 건
못 느끼는 건가?!

그 정도가
아니지.

질끈

과연…. 고수의 손에 들린 천 쪼가리는 그냥 천 쪼가리가 아니다 이건가.

흐음

?!

꿀틀

콰득‥

끄드득‥

…….

육신이 조각난
상태에서도
움직이다니.

이것들
정체가 뭐야?

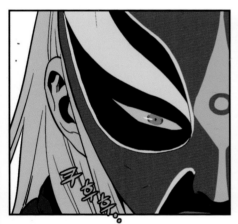

훅

훅

…단순한
독공이 아니야.

이건
설마….

고독(蠱毒)이다!
놈들에게서 떨어져,
가령―!

우복
오라버니!

떡

아!

끼끼...

끼이...

후

욱°°

멀찍이
물러서라!

...!

...

설마 '고독'에 대한 것까지 알고 있을 줄이야.

저 흡성대법을 쓰는 놈…, 여러모로 나를 놀라게 하는군.

하나, 깨닫는 것이 조금 늦은 것 같구나.

고(蠱)는 인간의 몸에 기생할 수 있는 맹독성 벌레.

나의 피로 사육되어 오직 나와 교감이 가능한 것들로… 이놈들이 투입된 숙주는 자신의 의지와 상관없이 내 명령에 따라 살고 죽는 꼭두각시가 된다.

으음?!

막아냈어…?

성벽을
무너뜨릴 정도의
위력을 가진 폭발을
고작 휘장만으로?

…아아.
이것 또
잊을 뻔했군.

백옥무제
진가령.

구 무림의 적통을 이은
모친으로부터
무림 여제의 칭호를
승계한 여걸이라….

각오해!

으득..

8권에 계속

2022년 12월 25일 초판 1쇄 발행

저자　　　문정후 류기운

발행인　　정동훈
편집인　　여영아
편집책임　최유성
편집　　　양정희 김지용 김혜정 박수현
디자인　　디자인플러스
본문편집　한상희

발행처　　(주)학산문화사
등록　　　1995년 7월 1일
등록번호　제3-632호
주소　　　서울특별시 동작구 상도로 282 학산빌딩
편집부　　02-828-8988, 8836
마케팅　　02-828-8986

ISBN 979-11-6947-364-4
ISBN 979-11-6927-882-9(세트)

값 15,000원